科学実験対決漫画

実験対決

㊹ ロケットの対決

かがくるBOOK

내일은 실험왕 ㊹

Text Copyright © 2018 by Story a.

Illustrations Copyright © 2018 by Hong Jong-Hyun

Japanese translation Copyright © 2023 Asahi Shimbun Publications Inc.

All rights reserved.

Original Korean edition was published by Mirae N Co., Ltd.(I-seum)

Japanese translation rights was arranged with Mirae N Co., Ltd.(I-seum)

through VELDUP CO.,LTD.

科学実験対決漫画

実験対決
㊹ ロケットの対決

文：ストーリーa.　絵：洪鐘賢

目次

第1話　空港でかけた言葉　8

科学ポイント　ロケットの原理、ロケットの技術

理科実験室①　家で実験

　　　　　　　風船の多段式ロケットづくり　32

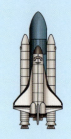

第2話　勝ったことのない実験　34

科学ポイント　ペイロード、宇宙速度、固体ロケット、液体ロケット

理科実験室②　世の中を変えた科学者　セルゲイ・コロリョフと

　　　　　　　ヴェルナー・フォン・ブラウン　56

G博士の実験室　宇宙往還機とロケット　57

第3話　あきらめではなく挑戦　58

科学ポイント　ペットボトルロケット

理科実験室③　理科室で実験　酢と重曹でロケットを発射する　82

第4話　3、2、1、ロケット発射！　84

科学ポイント　モデルロケット、実際のロケットと

　　　　　　　モデルロケットの飛行過程

理科実験室④　実験対決豆知識

　　　　　　　ロケットの構造　110

　　　　　　　ロケットの種類　111

第5話 変化するロケット　112

科学ポイント　ミサイル大量破壊兵器

理科実験室⑤　対決の中の実験

　　　　　　　注射器ストローロケット実験　134

　　　　　　　日本のロケット開発の歴史　137

第6話 発射されたロケット、
　　　　そして最後のチャンス　138

科学ポイント　原子爆弾、水素爆弾、核爆発

理科実験室⑥　生活の中の科学

　　　　　　　核兵器の歴史と被害　164

登場人物

ウォンソ

所属：韓国代表実験クラブBチーム

観察内容・ベスト16の対決で興奮するウジュを落ち着かせる冷静な少年。
・実験結果や対決の勝敗より、実験の過程やチームメート間の調和を大事にしている。

観察結果：リーダーとしてメンバーそれぞれの実力をよく知っており、Bチームのメンバーのレベルに合う適切な実験目標を設定する。

セナ

所属：ドイツ代表実験クラブ

観察内容・発表されたベスト16の対決テーマに取り組むため、勢いよく発射するロケットのような少女。
・空港でウォンソと最後の対決について話し合ったとき、2人だけの和気あいあいな雰囲気になる。

観察結果：自分がウォンソに勝てるのかという不安や疑問に悩むものの、チームメートの顔を見て自信を取り戻す。

ウジュ

所属：韓国代表実験クラブBチーム

観察内容・対決に勝つためならロケットのように突き進む少年。
・ドイツチームとの別れの場面でも、あっけらかんと飲み物をおいしそうに飲む明るい性格の持ち主。

観察結果：ベスト8に勝ち進むため、必死に努力する。

ラニとジマン

所属：韓国代表実験クラブBチーム

観察内容：・両極端なウジュとウォンソの摩擦を減らすため間に入ってがんばる潤滑油のような存在。
・ペットボトルロケットの飛行を安定させるフィンのように、興奮するウジュとクールなウォンソの間で絶妙なバランスを保っている。

観察結果：周囲の状況をよく観察し、実験の準備や課題をきちんとこなす。

ホン

所属：太陽小実験クラブ

観察内容：・気象観測用のロケットのように、目にレーダーをつけてウォンソとセナの対決をじっくり観察する少年。
・対決テーマを知った途端、過去の経験から、もう勝敗は決まったと思いこんでしまう。

観察結果：みんなの前では自分がウォンソやセナと仲良しだと言い張るが、残念ながら空回りしてしまう。

その他の登場人物

❶ ベスト16の対決を観戦するためにサプライズ登場したカンリム。
❷ 韓国Bチームの勝利を心から願うチョロン。
❸ チョロンとどこか気が合うリズ。

第1話 空港でかけた言葉

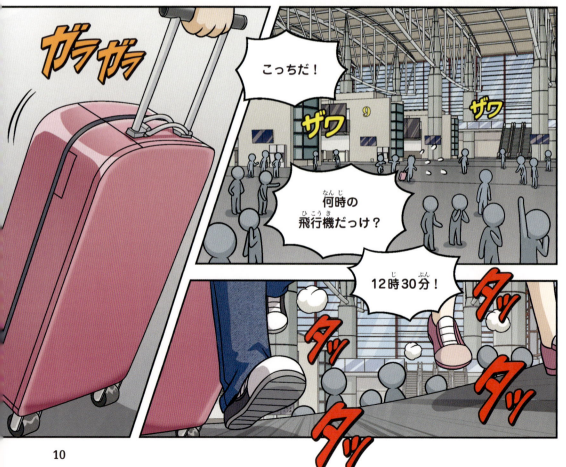

実験対決　理科実験室❶　家で実験

実験　風船の多段式ロケットづくり

ロケットを宇宙に打ち上げるには大きな推進力が必要です。大きな推進力を得るにはそれだけ大量の燃料が必要ですが、燃料の量が多ければ多いほど重くなり、ロケットの速度は落ちます。このような問題を解決するため、燃料をいくつものタンクに分けて燃焼噴射させ、燃焼ずみの燃料タンクを捨てることができる多段式ロケットが開発されました。風船を利用した実験を通じて、多段式ロケットの原理を調べてみましょう。

準備する物　空気入れ、ジェット風船2個、ストロー2本、段ボール、セロハンテープ、釣り糸、ハサミ、ダブルクリップ2個

❶ ストロー2本を通した釣り糸をテーブルやイスにくくりつけ、ピンと張って固定します。

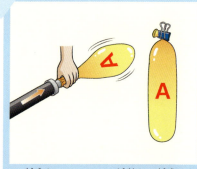

❷ 空気入れでジェット風船Aに空気を入れ、口をダブルクリップで止めます。

❸ 段ボールで輪を作りジェット風船Aを段ボールの輪にはめます。

❹ ジェット風船Bの口を段ボールの輪とジェット風船Aとの間に通します。

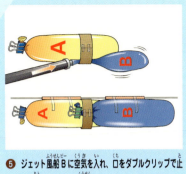

❺ ジェット風船Bに空気を入れ、口をダブルクリップで止めた後、ストローに風船をセロハンテープでつけます。

❻ クリップを同時に外して風船を発射させます。

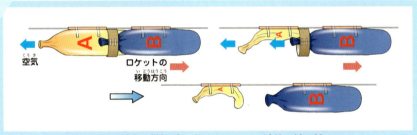

❼ ジェット風船AとBの空気が段階的に抜けてジェット風船が前に進みます。

どうしてそうなるの？

　ジェット風船Aの空気が吹き出してジェット風船AとBを移動方向に進め、次にジェット風船Bの空気が吹き出してジェット風船Bを前に進めたので、いっぺんに空気が吹き出さずに段階的に空気が抜けました。実際の多段式ロケットもこの実験と似た原理です。多段式ロケットは複数のロケットを結合した形で打ち上げ、燃焼ずみのタンクやエンジンを切り離すように作られたロケット。普通2〜3段でできていて、各段は結合した部分が切断されて分離します。このような原理のおかげで多段式ロケットは発射される段階から重量がどんどん軽くなり1段のロケットよりも遠くに、速く飛ぶことができます。

第1段を分離中のサターン5型ロケット

第2話 勝ったことのない実験

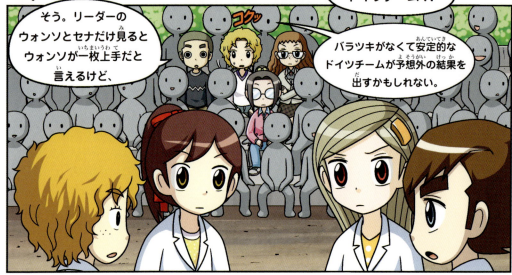

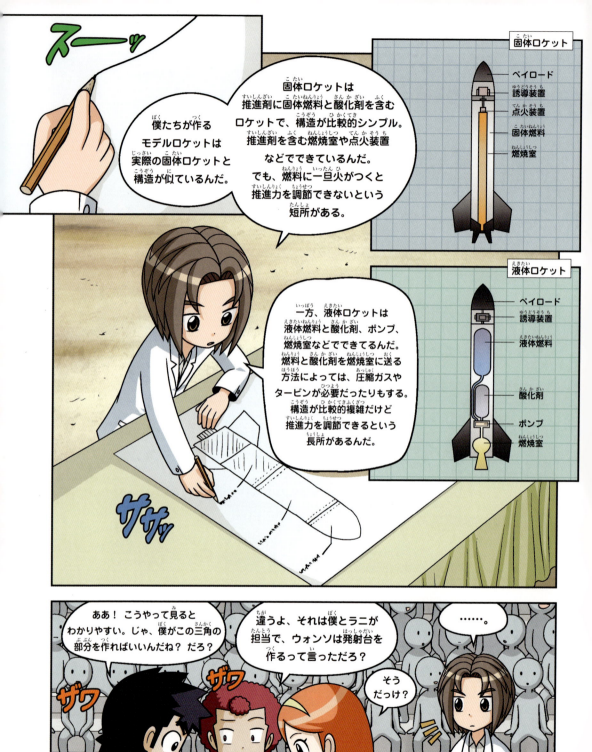

*ノーズコーン 宇宙船やミサイルなどの先端部分を指す。空気との摩擦を減らすため、円錐形になっている。

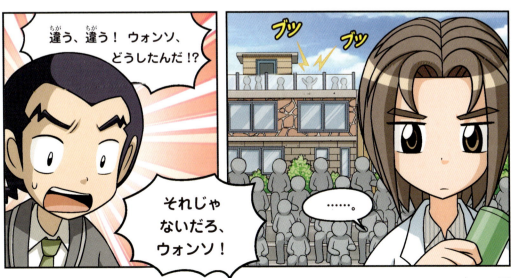

実験対決　理科実験室❷　世の中を変えた科学者

セルゲイ・コロリョフとヴェルナー・フォン・ブラウン

　セルゲイ・コロリョフとヴェルナー・フォン・ブラウンはロケット工学者です。1907年に当時のロシア帝国（現在はウクライナ）で生まれたセルゲイ・コロリョフはモスクワ最高技術学校を卒業後、爆撃機を設計する仕事に従事したことでロケットエンジンに関心を持つようになりました。そして、数年間の研究の末、液体燃料を利用したロケットエンジンを開発し、

セルゲイ・コロリョフ（左、1907～1966）とヴェルナー・フォン・ブラウン（右、1912～1977）

ジェット推力研究所の所長に就任しました。しかし1938年、セルゲイ・コロリョフはソ連で起きた大粛清に巻き込まれて逮捕され、1944年に特別赦免されるまで収容所で過ごしました。その後、社会に戻った彼はロケット研究に没頭し、大陸間の攻撃が可能なR-7大陸間弾道ミサイル（ICBM）を世界で初めて開発しました。そして1957年に、R-7のロケットを利用し、世界最初の人工衛星スプートニク1号を打ち上げることができたのです。

　1912年、ドイツで生まれたヴェルナー・フォン・ブラウンはベルリン工科大学に入学し液体燃料ロケットを学んだ後、陸軍の研究所でロケット研究を行いました。その後本格的にロケットを開発し始め、現在のロケットの元祖と呼ばれるV-2ロケットを作るのに成功したのです。V-2ロケットは約1トンの弾頭を載せて300km以上飛ぶことができる当時最高の軍事用ロケットでした。その後、1945年にドイツが第二次世界大戦に敗れると、ヴェルナー・フォン・ブラウンはアメリカに渡り、ロケット研究を続けました。そして、NASAに所属してサターンロケットを開発しました。このサターン5型ロケットは世界で初めて月に着陸したアポロ11号を宇宙に打ち上げるのに使われました。このようにセルゲイ・コロリョフとヴェルナー・フォン・ブラウンが開発したロケットは、初めは戦争兵器に利用されましたが、現在では宇宙時代を切り開く宇宙ロケット開発の基盤になりました。

スプートニク1号　世界初の人工衛星

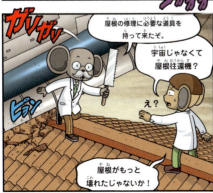
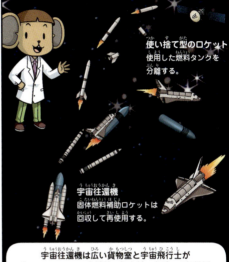

第3話

あきらめではなく
挑戦

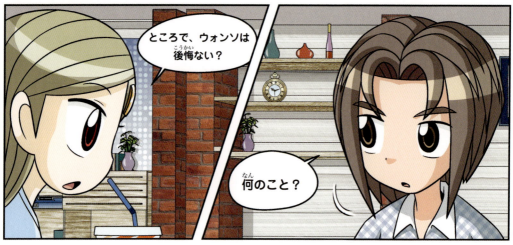

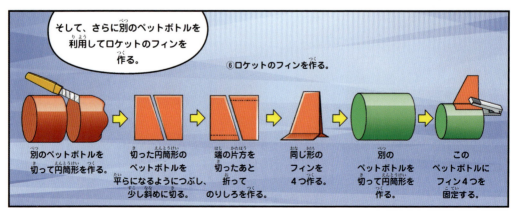

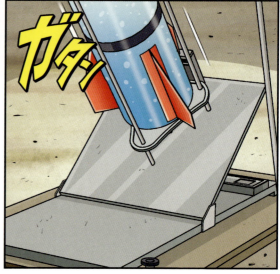

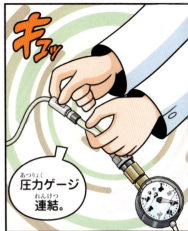

*チェックバルブ　気体や液体が一方向にだけ流れるよう制御する装置。

*圧縮ポンプ　気体や液体を圧縮して圧力を高めるのに使うポンプ。

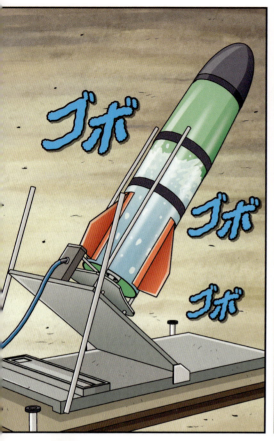

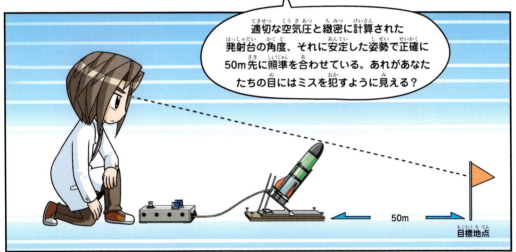

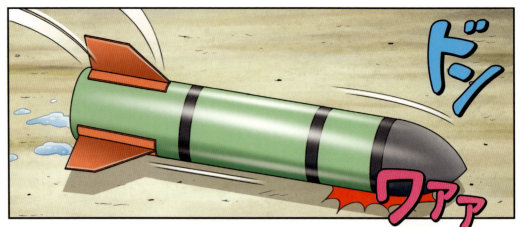

実験対決　理科実験室❸　理科室で実験

酢と重曹でロケットを発射する

	実験報告書
実験テーマ	酢と重曹を利用してロケットを発射し、作用反作用の法則について調べてみましょう。
準備する物	❶重曹　❷酢　❸ティッシュ　❹色紙3枚　❺両面テープ　❻フィルムケース　❼セロハンテープ　❽計量スプーン　❾ハサミ　❿安全メガネ 
実験予想	酢と重曹が合わさって起きる反応によりロケットが発射するでしょう。
注意事項	❶ロケットを発射させる前、安全メガネを装着します。 ❷ロケットが発射するときは安全のため適度な距離をとります。 ❸ロケット発射によって周りが汚れる可能性があるので、床にビニールシートを敷くか、外で実験しましょう。

実験方法

1. フィルムケースのフタを下向きにして色紙でフィルムケースの周囲をおおいセロハンテープで固定します。
2. 色紙でロケットのフィンと円錐型のノーズコーンを作り、両面テープでそれぞれロケットの胴体の下部と上部に固定します。
3. ティッシュに重曹をスプーン2杯分入れて包みます。
4. フィルムケースの中に酢を3分の1ほど入れます。
5. フィルムケースの中に❸のティッシュを入れた後、素早くフィルムケースのフタを閉じます。
6. 素早くロケットを地面に置いて遠くに離れます。

*ロケットが発射された様子。

実験結果

酢と重曹の化学反応によってフィルムケースのロケットが発射されました。

どうしてそうなるの？

ロケットが発射された理由は酢と重曹が反応して二酸化炭素が発生したからです。こうやって発生した二酸化炭素がフィルムケースの内部に満ちるとフィルムケース内部の圧力が高まり、その結果、高い圧力によってフィルムケースのフタが押し出されてロケットが発射されたのです。物体Aが物体Bに力を加えると、物体Bは大きさが同じで逆方向の力を物体Aに加えるという「作用反作用の法則」を利用したのです。

第4話

3、2、1、
ロケット発射！

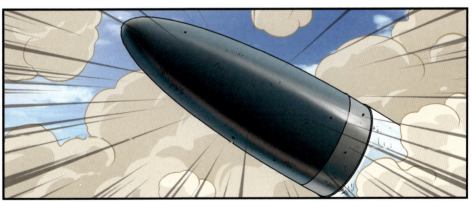

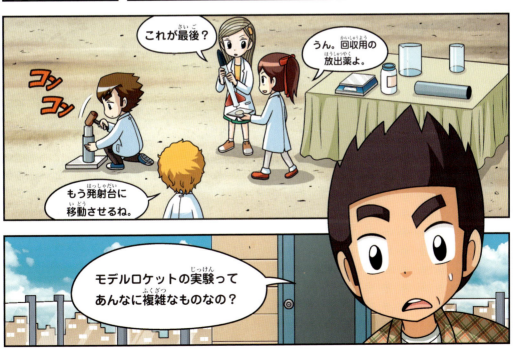

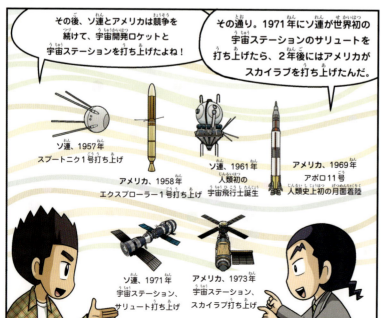

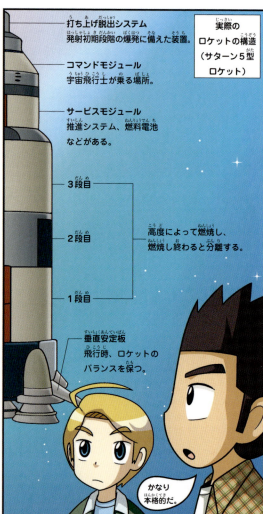

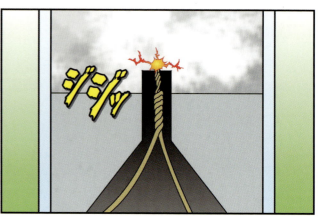

ロケットの構造

とてつもない量の高温・高圧のガスを噴き出しながら広い宇宙に向かって飛んで行くロケット。ところで、ロケットの構造や仕組みはどうなっているのでしょうか？ ロケットの定義や基本構造、歴史などについて一緒に見ていきましょう。

ロケットの定義と基本構造

ロケットとは高温・高圧のガスを噴出させ、これによって生じる反作用を利用する推進装置や飛行体のことをいいます。燃えるのに必要な酸素がほとんどない宇宙空間でもロケットが推進力を発揮できるのは、ロケットの燃料や酸化剤に酸素が含まれているからです。ロケットの形状は、用途や種類によってさまざまですが、ほとんどが円錐形の上部と、円筒形の胴体でできています。ロケットは燃料噴射の方向によって飛行方向を調節するので、ロケットの翼は底部に小さくつけられているか、初めからありません。そして推進力を最大化するため、多くは2〜3段の多段式ロケットで構成されています。

H2Bロケット9号機の打ち上げ
国際宇宙ステーションに物資を運ぶ無人補給船「こうのとり」を載せている。

ロケットの起源は約1000年前の中国

ロケットは燃料や制御方式、エンジンの構造など、さまざまな種類の技術が集まって造られているので、いつ、どうやって始まったのかについて正確にはわかりません。ただ、11世紀に編纂された中国の兵書『武経総要』に、ロケットの起源と見られる中国の火矢である「火箭」についての記録が確認できます。

この兵書では、推進剤を作る方法はもちろん、これを利用して火箭を放つ方法などが詳しく書かれています。このような中国の火箭の技術は、インドやアラビアを経由してヨーロッパに伝えられるなど、今日のロケット技術の発展に大きく寄与したと考えられます。

中国ではロケットを火箭（火矢）と言ったりもするよ。

ロケットの種類

　ロケットはどう使うかによって、またどんな燃料を使うのかによって、いろいろな種類に分けることができます。用途や燃料によるロケットの種類について見てみましょう。

用途による分類

　ロケットの使い道は大きく気象観測、宇宙開発、兵器などに分けられます。気象観測に使われるロケットは超高層大気や大気圏外へ打ち上げられデータを収集し、宇宙開発に使用されるロケットは宇宙の観測、研究や開発に活用されています。兵器に使用されるロケットはミサイルと呼ばれ、潜水艦を攻撃する「対潜ミサイル」や、飛んでくるロケットを撃つ「迎撃ミサイル」などがあります。

気象観測用ロケット　大気の成分、密度、気圧、温度、太陽、宇宙線などを観測するほか、科学の写真の撮影に使われる。

宇宙開発用ロケット　人工衛星を搭載したり、惑星を探索してデータを収集したり、宇宙ステーションに物資を運んだりと、いろいろなロケットがある。

兵器用ロケット　潜水艦を攻撃する「対潜ミサイル」、戦闘機に搭載される「空対地ミサイル」などがある。

燃料による分類

　固体燃料を推進剤として使用する「固体ロケット」は比較的構造がシンプルで、燃料を入れた状態で長期間保管できるため、すぐにロケットを発射しなければならない軍事用に適しています。
　液体燃料を推進剤として使用する「液体ロケット」は、推進力を制御できるので精密さが必要な宇宙ロケットに利用されます。しかし、液体燃料は腐食性が強いうえ変質しやすいので発射直前に注入する必要があるという短所があります。固体燃料と液体燃料を組み合わせた推進剤を使用する「ハイブリッドロケット」は、一般的に酸化剤は液体、燃料は固体を使います。推進力を制御でき、発射前の準備時間が短くて済むという長所があります。

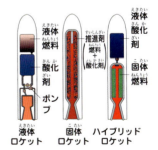

第5話

変化するロケット

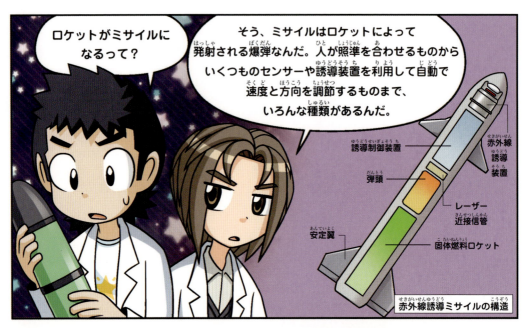

注射器ストローロケット実験

実験報告書

実験テーマ
ストローで作ったロケットを、注射器を利用して発射させ、ロケットが発射される原理について調べてみましょう。

準備する物
❶的　❷ハサミ　❸太さが違うストロー2本　❹注射器
❺30cmの物差し　❻色紙　❼両面テープ　❽セロハンテープ
❾ゴム粘土

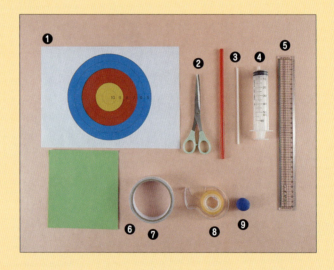

実験予想
注射器のピストンを押すと、注射器から出てくる空気の力でストローロケットが発射されるでしょう。

注意事項
❶ストローロケットを人や動物に向けて発射してはいけません。
❷空気がもれないようセロハンテープやゴム粘土で注射器の隙間をしっかり埋めます。

実験方法

❶ ハサミを使って太い方のストローは長さ12cm、細い方のストローは長さ8cmに切ります。

❷ 細い方のストローの一方の端に、長さ1cmの切り込みを縦に3カ所入れて、注射器の口にはめます。

❸ セロハンテープでストローと注射器の口を固定し、空気がもれないようゴム粘土で隙間をしっかり埋めます。

❹ 色紙でロケットのフィンを2個作り太い方のストローの一方の端に両面テープで固定します。

❺ 太い方のストローの一方の端をゴム粘土でふさいだ後、細い方のストローにさします。

❻ 30cmほど離れた位置に的を固定します。

実験対決　理科実験室❺　対決の中の実験

❼ 注射器のピストンを素早く押して的に向けてロケットを発射します。

❽ 注射器内の空気の量や押す強さ、速度を変えてストローロケットが発射される様子を観察します。

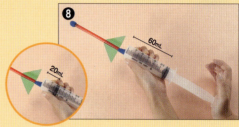

実験結果　注射器のピストンを押すとストローロケットが発射されました。注射器のピストンを押す強さや速度、角度など調節すると的に正確に当てることができました。注射器のピストンをゆっくり押すより速く押した方がストローロケットがより遠くに飛びました。

どうしてそうなるの？

　注射器でストローロケットを発射できるのは空気の圧力が推進力として作用したからです。注射器のピストンを押すと注射器の中の空気が圧縮されて圧力が高まり、高い圧力に耐えきれなくなった空気は注射器の筒口を通じて吹き出します。このときに吹き出した空気が推進力として作用し、ストローロケットを発射させたのです。

　注射器のピストンをより速く押すとストローロケットがより遠くに飛んだのは、注射器の中により高い空気の圧力が生じたからです。実際のロケットも高温・高圧のガスが噴出する際の力を利用し発射されます。

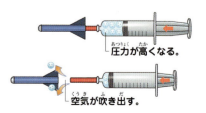

日本のロケット開発の歴史

　日本では、いつからロケットが作られてきたのでしょうか。歴史をたどってみましょう。
　宇宙の研究や開発を目的として、日本で最初に発射されたロケットは、固体燃料を積んだ長さ23センチのペンシルロケットです。1955年4月、東京大学の故糸川英夫博士が率いる研究グループが初の発射実験を行ったこの小さなロケットは、現在のように上へ向かってではなく、横に向かって発射され、飛距離はわずか10メートルほどでした。その後、同グループは、70年にラムダ4Sロケットに載せた日本初の人工衛星「おおすみ」の打ち上げに成功。そして翌年、多くの観測衛星や探査機を運び、日本の宇宙科学の発展に大きく貢献した、ミュー系列の初期型ロケットが宇宙へと飛び立ちました。固体燃料ロケットは構造がシンプルで、製造や取り扱いが比較的容易というメリットがあります。
　ペンシルロケットから続く固体燃料ロケット開発の歴史は、現在も運用されているイプシロンに引き継がれています。このロケットは、人工知能（AI）で組み立てや点検を効率化するなど、世界でも最高水準の技術を搭載しています。

ペンシルロケット発射実験の様子

　一方、液体燃料ロケットは、69年に発足した宇宙開発事業団（現在はJAXAに統合）を中心に、気象衛星など、人々の暮らしと結びついた宇宙開発を目的としてスタートしました。この頃すでに固体燃料ロケット開発では成果を上げていた日本ですが、構造が複雑で制御能力に優れた液体燃料ロケットの開発はあまり進んでいませんでした。そのため、アメリカから技術を導入することで研究・開発をスピードアップ。75年にN1ロケットを打ち上げ、N2、H1と着実に技術を向上させていきました。そして94年、ついに純国産ロケットであるH2の打ち上げに成功。この系列は、小惑星探査機「はやぶさ2」など多くの人工衛星を運んだH2A、宇宙ステーション補給機「こうのとり」（1〜9号）を運んだH2B、そして最新のH3ロケットへと続いています。

初めての純国産液体燃料ロケット・H2

第6話

発射されたロケット、そして最後のチャンス

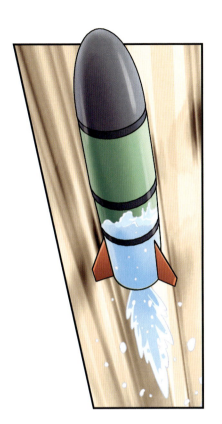
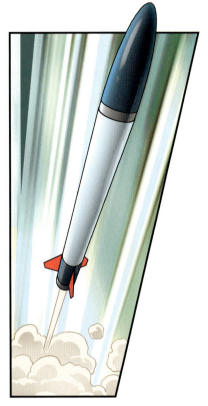
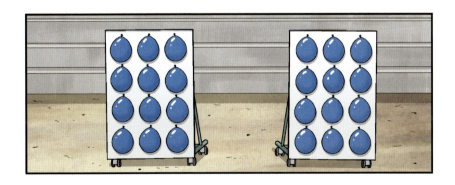

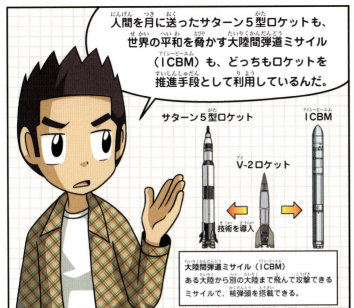

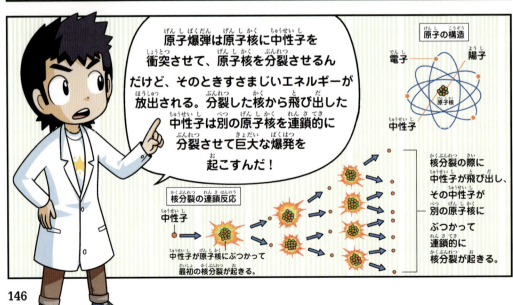

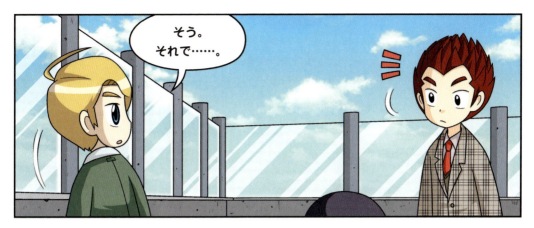

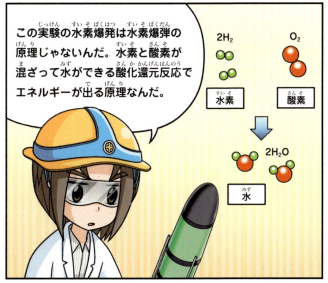

実験対決㊺「毒と解毒」編もお楽しみに。

核兵器の歴史と被害

核兵器の使用は地球規模で自然と人類に壊滅的な被害をもたらしました。
ここでは核兵器の歴史や、使用されるとどのような被害を及ぼすのか、解説します。

最初の核兵器「原子爆弾」

第二次世界大戦下において、世界各国は戦争で優位に立つために武器開発競争を繰り広げました。一部の国では、核反応で発生するエネルギーを利用する核兵器を作るため、秘密裏に研究が進められました。

そうした中、アメリカは1945年にニューメキシコ州の砂漠で人類初の原子爆弾の実験を行いました。同年、アメリカは広島と長崎に原子爆弾を投下。深刻な被害をもたらしました。核兵器のすさまじい破壊力を確認した世界の大国は競って核兵器開発に没頭し、冷戦期にはアメリカ、ソ連を中心とした各国で多くの核実験が行われました。

日本の長崎に投下された原子爆弾の模型
その形状から「太っちょ」という意味の
ファット・マン（Fat Man）と呼ばれた。

原子爆弾は、想像を絶する被害を残したんだ。

国際社会の約束「核不拡散条約」

核兵器によって人類が滅亡するかもしれないという憂慮が大きくなり、1970年に国際社会は核不拡散条約（NPT）を発効し、核兵器の拡散を防止するため努力し始めました。この条約は核兵器保有国をアメリカ、中国、イギリス、ロシア、フランスの5カ国に限定し、核兵器非保有国は核兵器を開発しないなどの内容が含まれています。

日本は1976年に批准しました。核を保有するインド、パキスタン、イスラエルは未加盟で、北朝鮮は2003年に脱退を宣言しました。

世界190カ国あまりがNPTに加盟してるよ。

すさまじい核兵器の被害

広島に噴き上がったキノコ雲

　核兵器が人類史上初めて実戦に使われたのは広島と長崎です。
　第二次世界大戦中の1945年8月6日、アメリカは「リトルボーイ（Little Boy）」と呼ばれる原子爆弾を広島に投下しました。長さ約3m、直径約70cmのリトルボーイが広島に落とされると、強力な閃光を放って火の球となり熱線、放射線、爆風が町や人々を襲いました。そして巨大なキノコ雲が噴き上がったのです。原子爆弾は瞬時に爆心地から2キロメートル以内の建物をほとんどすべて破壊し、人と町に極めて深刻な被害をもたらしました。広島市は、同年12月末までの死者を約14万人と推計しています。そして、3日後の8月9日、アメリカは別の原子爆弾「ファットマン（Fat Man）」を長崎に投下。死者は同年12月末までに約7万4千人に達したといわれています。原子爆弾による被害はこれだけでは終わりませんでした。核爆発によって生じた放射線の影響で、多くの人々が白血病やがんなどさまざまな病気に苦しみました。

核兵器は地球と人類の平和を脅かす最悪の武器だ！

被ばく前の原爆ドーム
被ばく前の広島産業奨励館。1915年に完成した展示場で、広島市のシンボルだった。

被ばく後の原爆ドーム
爆心地から約160mの至近距離で被爆した。現在もほぼ当時の姿のまま保存されている。

日本語版編集協力　東京大学サイエンスコミュニケーションサークルCAST

㊹ ロケットの対決

2023年5月30日　第1刷発行

著　者　文　ストーリーa.／絵　洪鐘賢(ホン ジョン ヒョン)
発行者　片桐圭子
発行所　朝日新聞出版
　　　　〒104-8011
　　　　東京都中央区築地5-3-2
　　　　編集　生活・文化編集部
　　　　電話　03-5541-8833（編集）
　　　　　　　03-5540-7793（販売）

印刷所　株式会社リーブルテック
ISBN978-4-02-332227-1
定価はカバーに表示してあります

落丁・乱丁の場合は弊社業務部(03-5540-7800)へ
ご連絡ください。送料弊社負担にてお取り替えいたします。

Translation：HANA Press Inc.
Japanese Edition Producer：Satoshi Ikeda
Special Thanks：Kim Da-Eun / Lee Ah-Ram
　　　　　　　　（Mirae N Co.,Ltd.）

読者のみんなとの交流の場「ファンクラブ通信」は、クイズに答えたり、投稿コーナーに応募したりと盛りだくさん。「ファンクラブ通信」は、サバイバルシリーズ、対決シリーズ、ドクターエッグシリーズの新刊に、はさんであるよ。書店で本を買ったときに、探してみてね！

おたよりコーナー 1
ジオ編集長からの挑戦状
『○○のサバイバル』を作ろう！

みんなが読んでみたい、サバイバルのテーマとその内容を教えてね。もしかしたら、次回作に採用されるかも!?

例：冷蔵庫のサバイバル
何かが原因で、ジオたちが小さくなってしまい、知らぬ間に冷蔵庫の中に入れられてしまう。無事に出られるのか!?（9歳・女子）

おたよりコーナー 2
キミのイチオシは、どの本!?
サバイバル、応援メッセージ

キミが好きなサバイバル1冊と、その理由を教えてね。みんなからのアツ〜い応援メッセージ、待ってるよ〜！

例：鳥のサバイバル
ジオとピピの関係性が、コミカルですごく好きです!! サバイバルシリーズは、鳥や人体など、いろいろな知識がついてすごくうれしいです。（10歳・男子）

おたよりコーナー 3
ケイ館長のサバイバル美術館

みんなが描いた似顔絵を、ケイが選んで美術館で紹介するよ。

© Han Hyun-Dong / Mirae N

みんなからのおたより、大募集！

①コーナー名とその内容
②郵便番号　③住所　④名前　⑤学年と年齢
⑥電話番号　⑦掲載時のペンネーム（本名でも可）

を書いて、右記の宛先に送ってね。
掲載された人には、サバイバル特製オリジナルグッズをプレゼント！

●郵送の場合
〒104-8011　朝日新聞出版　生活・文化編集部
サバイバルシリーズ　ファンクラブ通信係

●メールの場合
junior@asahi.com
件名に「サバイバルシリーズ ファンクラブ通信」と書いてね。

ファンクラブ通信は、サバイバルの公式サイトでも見ることができるよ。

[科学漫画サバイバル] 検索

※応募作品はお返ししません。
※お便りの内容は一部、編集部で改稿している場合がございます。